D1253049

MINECRAFT

MOJANG

Pour l'édition originale
Textes écrits par Matthew Needler et Phil Southam (FyreUK), tous droits réservés.
Édition : Stephanie Milton
Conception graphique : Steffan Glynn
Maquette : Andrea Philpots et Matthew Garrett
Constructions créées par Matthew Needler et Phil Southam (FyreUK), salmon77,
halfdemonanbu, Sir_Beret, Geroo, Nefashus, Heaven_Lord, CrespoChimp, iHDVibeZz
Illustrations de James Barker et Theo Cordner
Fabrication : Louis Harvey et Caroline Hancock

Pour l'édition française
Traduction : Alexandre Fil
Mise en page et relecture : IndoLogic Pvt. Ltd. (Pondichéry, Inde)
Responsable éditorial : Thomas Dartige
Suivi d'édition : Éric Pierrat
Correction : Emmanuel de Saint-Martin

Avertissement aux parents à propos d'Internet : toutes les adresses de sites Internet
données dans ce livre sont correctes au moment où nous imprimons. Gallimard Jeunesse
vérifie et met à jour régulièrement les liens sélectionnés ; leur contenu peut cependant changer.
Gallimard Jeunesse ne peut être tenu pour responsable que du contenu de son propre site
et non de celui des sites tiers qui peuvent changer à tout moment.
Nous recommandons que les enfants utilisent Internet en présence d'un adulte,
ne fréquentent pas les *tchats* et utilisent un ordinateur équipé d'un filtre pour éviter
les sites non recommandables.

Avertissement aux enfants à propos d'Internet : Demandez toujours la permission
à un adulte avant de vous connecter au réseau Internet. • Ne donnez jamais d'informations
sur vous. • Ne donnez jamais rendez-vous à quelqu'un que vous avez rencontré
sur Internet. • Si un site vous demande de vous inscrire avec votre nom et votre adresse
e-mail, demandez d'abord la permission à un adulte. • Ne répondez jamais
aux messages d'un inconnu, parlez-en à un adulte.

L'éditeur a fait tous ses efforts pour retrouver les propriétaires
des droits des documents reproduits dans ce livre. En cas d'omissions
involontaires, l'éditeur sera heureux de rectifier.

Édition originale parue sous le titre :
Minecraft Construction handbook
publiée au Royaume-Uni en 2014
par Egmont UK Limited

ISBN : 978-2-07-066021-6
Copyright © 2014 Gallimard Jeunesse, Paris
Dépôt légal : août 2014
N° d'édition : 265735
Loi n° 49-956 du 16 juillet 1949
sur les publications destinées à la jeunesse.

Imprimé et relié en Italie
par Rotolito Lombarda S.p.A.

MINECRAFT

MOJANG

CONSTRUCTION
LE GUIDE OFFICIEL

SOMMAIRE

INTRODUCTION

BIENVENUE DANS « CONSTRUCTION, LE GUIDE OFFICIEL! » C'EST UN MANUEL ESSENTIEL POUR TOUS LES FUTURS MAÎTRES BÂTISSEURS DANS MINECRAFT.

Il contient des conseils prodigués par des experts comme FyreUK, pour te permettre de construire pas à pas de magnifiques bâtiments, ainsi que des exemples de constructions monumentales pour t'inspirer et t'aider à voir grand dans tes projets architecturaux.

Que tu rêves de bâtir ta propre maison et son sublime jardin ou que tu aimes le frisson procuré par un tour de montagnes russes, ce guide est là pour te donner confiance et te transmettre les connaissances nécessaires pour faire sortir de terre des projets nouveaux et impressionnants.

C'est parti, construisons!

ASTUCE : LA SÉCURITÉ EN LIGNE

Jouer sur un serveur Minecraft en mode Multijoueur est génial! Voici quelques conseils de sécurité pour que, dans ce cas, Minecraft reste un jeu convivial et sûr :

- ne donne jamais ton vrai nom, choisis un pseudonyme,
- ne communique aucune donnée personnelle,
- ne révèle à personne ni ton école ni ton âge,
- ne révèle à personne ton mot de passe, sauf à tes parents.

LA MAISON EN BOIS

Veux-tu construire une maison pour te protéger, toi et tous tes biens, ou bien construire un beau village en mode Créatif? Dans tous les cas, il est important que tu saches bien construire une maison.

MATÉRIAUX DE CONSTRUCTION

1

Tout d'abord, crée un contour en pierre d'un bloc de haut. Fais une petite avancée pour l'entrée et un petit renfoncement pour faire un porche.

2

Construis les murs du rez-de-chaussée jusqu'à la hauteur de plafond que tu souhaites dans ton salon. Il est recommandé d'avoir au moins 1 ou 2 blocs d'espace au-dessus de la tête pour ne pas se sentir à l'étroit. Recouvre le sol avec des planches de bois.

3

Construis les murs du premier étage avec des planches de bois pour changer de la pierre. Il est souvent plus facile de faire les murs, puis d'y creuser les fenêtres en enlevant certains blocs. Finis l'étage avec un sol et un escalier en bois.

4

Utilise des blocs de verre pour créer tes fenêtres et place des blocs de bois pour faire les angles de ta maison. Ajoute deux portes en bois à l'entrée et des torches pour éclairer la nuit. Ensuite élève des cloisons intérieures et décore ta maison.

PATRON DE LA PORTE

Tu peux fabriquer une porte en bois avec 6 planches.

LA MAISON EN BOIS
... (SUITE)

MATÉRIAUX DE CONSTRUCTION

5

Agrandis la façade de ta maison vers le haut en ajoutant un mur en forme de triangle, ou pignon. Puis ajoute des escaliers en bois en prenant appui sur ce triangle. Voilà le début de ton toit !

PATRON DES ESCALIERS EN BOIS

4

Tu peux fabriquer 4 blocs d'escalier en bois à partir de 6 planches.

ASTUCE :
Tu devras placer un bloc d'escalier sur le côté d'un bloc normal, avant de détruire celui-ci quand l'escalier est bien placé. Vise bien le bas du bloc sur lequel tu le places pour que les marches de l'escalier soient vers le haut. Si tu vises le haut du bloc, elles seront vers le bas.

6

Continue ton toit afin qu'il couvre l'intégralité de l'entrée de ta maison. Des bords qui dépassent donneront vraiment du volume à la construction, donc prolonge le toit d'un bloc de chaque côté.

 Des blocs d'escalier placés à 90 degrés l'un de l'autre formeront un escalier en coin.

7

Continue de recouvrir ta maison avec des escaliers, comme sur l'image, jusqu'à ce qu'elle soit complètement couverte.

8

Une fois que ta maison est totalement couverte, n'oublie pas de rajouter une rangée d'escaliers sur chaque côté.

LES FINITIONS

Essaye d'ajouter des balcons, une fenêtre dans le toit et une cheminée en pierre. Si tu veux donner l'impression que de la fumée sort de la cheminée, place plusieurs toiles d'araignée au-dessus d'elle. Les techniques de construction utilisées pour cette maison peuvent être appliquées à des constructions bien plus complexes. Essaye-les sur différents types de maisons, et inspire-toi des impressionnantes villes construites par la communauté Minecraft.

LE CHÂTEAU DE RESQUER
PAR SALMON77

L e joueur de Minecraft dénommé salmon77 a créé cette maison complexe, perchée sur une île isolée. Il a utilisé une combinaison de bois et de grès. C'est parfait comme second projet à construire, dès que tu maîtriseras la construction d'une maison simple (voir pages précédentes).

Le paysage est utilisé au mieux. Salmon77 s'est assuré de respecter les contours naturels de l'île tout en gardant plusieurs arbres et de petites zones d'herbe autour de la maison. Cette approche marcherait aussi bien pour des maisons à flanc de colline ou de montagne.

L'escalier menant à l'entrée est particulièrement imposant. Cela provient de l'utilisation de nombreux blocs différents. Il attire immédiatement l'attention.

ASTUCE SPÉCIALE :

Construis en fonction de l'environnement naturel pour faire quelque chose d'unique. Bâtis une entrée surélevée, c'est plus majestueux.

LA DEMEURE NORDIQUE
PAR FYREUK

Cette large et complexe maison a été créée par l'équipe de bâtisseurs FyreUK. Elle a été construite avec le bois le plus sombre disponible – le sapin – qui contraste parfaitement avec le paysage enneigé.

Cette demeure nordique est construite à partir d'un mélange de bois brut et travaillé, sur une base en pierre. Des principes similaires à ceux utilisés p. 8 sont repris ici et on retrouve certaines structures comme un toit triangulaire et de larges fenêtres. Cependant la demeure nordique est à une tout autre échelle : elle compte 115 blocs en hauteur!

Cette maison est le fruit d'un travail d'équipe – de nombreux bâtisseurs ont dû travailler ensemble pour créer cet immense bâtiment. Cela prendrait probablement plusieurs journées à une seule personne pour le reproduire.

ASTUCE SPÉCIALE :
Pour de grands et ambitieux projets, travaille plutôt en équipe afin de distribuer la charge de travail.

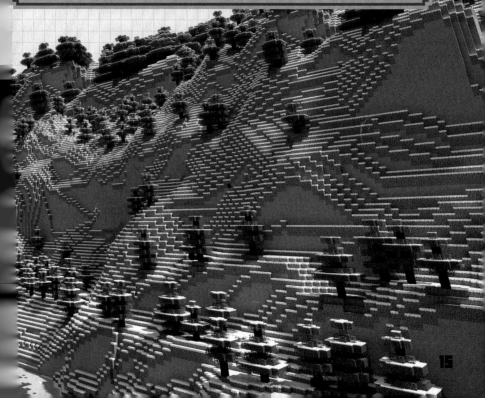

LE JARDIN DÉCORATIF

Travaillons maintenant à rendre ta maison plus accueillante à l'extérieur. Créer un jardin privé et paisible te permettra de profiter du paysage autour de «chez toi», tout en restant en sécurité.

MATÉRIAUX DE CONSTRUCTION

1

Trace d'abord les limites de ton jardin avec des blocs de bois enfoncés dans le sol. Choisis un emplacement pour ta piscine, et creuse une zone d'un bloc de profondeur et fais-en le bord avec de la roche.

2

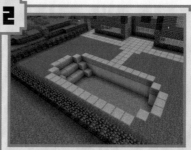

Dispose des feuilles sur tes blocs de bois (elles resteront si elles sont sur du bois). Creuse ta piscine à la profondeur désirée et utilise des blocs de grès poli et de luminite pour faire les parois.

3

Une fois les parois de la piscine construites, tu peux la remplir d'eau. À ce moment-là, essaye d'ajouter quelques détails supplémentaires à ton jardin, par exemple un petit potager et des arbres.

4

Borde de trappes des blocs de terre pour faire des jardinières pour tes fleurs. Fabrique une terrasse avec des barrières, des planches et des escaliers en bois. Une enclume fera un barbecue.

PATRON DE L'ENCLUME

Tu peux fabriquer une enclume avec 4 lingots de fer et 3 blocs de fer (faits avec 9 lingots).

PATRON DE LA TRAPPE

Tu peux fabriquer une trappe à partir de 6 planches de bois.

LE JARDIN DÉCORATIF
... (SUITE)

Maintenant que tu maîtrises les éléments du jardin de base, découvre des objets décoratifs plus complexes qui rendront ton jardin encore plus beau et attractif! Tes voisins t'envieront!

LA FONTAINE

Une fontaine est parfaite pour améliorer ton jardin. Les fontaines semblent défier les lois de Minecraft mais elles ne sont pas si difficiles à faire. L'astuce est de réussir à créer une source infinie d'eau au sommet qui coule dans un récipient placé plus bas. Une fois construite, la fontaine coulera indéfiniment. Tu peux ensuite créer une colonne centrale comme celle ci-contre, fabriquée à partir de pierre taillée pure et craquelée et avec une lampe au sommet.

MATÉRIAUX DE CONSTRUCTION

PATRON DE LA PIERRE TAILLÉE

4

Tu peux
fabriquer
4 pierres taillées
à partir de
4 blocs de roche.

PATRON DE LA PIERRE TAILLÉE CRAQUELÉE

Tu peux fabriquer
une pierre taillée
craquelée à partir
de deux demi-dalles
de pierre taillée.

À SAVOIR : Une source infinie d'eau peut être créée en faisant un carré 2 x 2 ou un rectangle 1 x 3 en blocs d'eau. De cette source, l'eau coulera indéfiniment.

LE LABYRINTHE

L'utilisation la plus fréquente des feuilles est la construction d'un labyrinthe. Comme pour la haie de la p. 17, tu commences par tracer les couloirs du labyrinthe avec des blocs de bois enterrés. Quand tu es convaincu que tes amis se perdront dans les méandres de ta construction, place des blocs de feuilles sur les blocs de bois jusqu'à une hauteur de 3 ou 4, pour que tes amis ne puissent pas sauter pour voir par-dessus.

MATÉRIAUX DE CONSTRUCTION

LA MAISON AU BORD DE L'EAU
PAR HALFDEMONANBU

Cette séduisante maisonnette utilise habilement la petite rivière coulant à son pied. La position aléatoire des plantes et des nénuphars crée l'impression d'une maison sauvage, perdue dans les bois.

Contrairement à la plupart des jardins, il n'y a pas de chemins ou de barrières délimitant une frontière, et pas non plus de lignes droites. Les bords sont organiques et naturels. Bien que la maisonnette ait été construite sur un terrain plat, il serait aussi possible de la construire sur un terrain bosselé. Tu peux facilement créer un cours d'eau comme celui-là pour ajouter un cachet naturel à ton jardin.

ASTUCE SPÉCIALE :

Bien placées, des fleurs colorées peuvent transformer un simple jardin. Et les nénuphars sont utiles en plus d'être jolis.

LES JARDINS PRINCIERS
PAR FYREUX

Ces magnifiques jardins princiers sont si grands qu'il n'est pas possible de tout montrer ici. Ce que tu vois ici est l'un des quatre coins – une accueillante et paisible oasis.

 ASTUCE SPÉCIALE :

Un design symétrique peut sembler adéquat si tu veux rester classique, mais en jouant avec les asymétries, tu peux faire des constructions bien plus intéressantes.

Le chemin est fait d'un mélange de pierre et de gravier. Il est légèrement entouré de verdure. L'arbre au centre du jardin est planté sur une petite île artificielle entourée d'une fine couche d'eau. L'île est presque circulaire, cette imperfection du cercle rend le tout naturel et pittoresque.

LE MUR FORTIFIÉ

Tes villes et cités ont besoin d'être protégées des monstres hostiles et des joueurs ennemis. Pour assurer la sécurité de tes précieux édifices, envisage la construction d'un mur fortifié.

MATÉRIAUX DE CONSTRUCTION

PATRON DE LA DEMI-DALLE DE PIERRE   6

Tu peux fabriquer 6 demi-dalles de pierre lisse à partir de 3 blocs de roche.

1

Tout d'abord, crée le contour du mur avec le matériau de ton choix (nous avons utilisé de la pierre). Choisis la largeur du mur que tu souhaites. La longueur importe peu pour le moment, puisque tu pourras toujours le rallonger si nécessaire.

2

Construis les murs jusqu'à la hauteur désirée, en laissant des trous à intervalles réguliers au sommet du mur. Ces trous, les créneaux, permettent aux archers de tirer. Ajoute aussi un chemin de ronde en planches de bois au sommet juste derrière les créneaux.

3

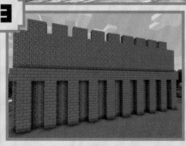

Fortifie ton mur avec une couche supplémentaire. Nous utilisons ici de la pierre taillée pour construire une structure en piliers à l'avant du mur. Nous avons aussi ajouté des demi-dalles de pierre taillée au sommet des merlons.

4

Ajoute des briques d'escalier en pierre taillée à la section basse du mur, en haut et en bas entre les piliers. Nous avons aussi ajouté des blocs d'escalier au-dessus de la pierre taillée qui pare le milieu du mur.

LE MUR FORTIFIÉ
... (SUITE)

Des tours placées à chaque coin de ton mur feront d'excellents postes de garde. Elles élargissent tes possibilités défensives et peuvent être utilisées pour accéder aux niveaux supérieurs.

MATÉRIAUX DE CONSTRUCTION

1

Tout d'abord, trace un contour circulaire à la base d'une extrémité de ton mur. Nous avons utilisé de la pierre pour que la tour se fonde avec le reste du rempart.

2

Ensuite, construis ta tour jusqu'à une hauteur d'au moins deux fois celle du mur, puis ajoute des créneaux au sommet. Nous avons assorti le mur avec la section basse de la tour mais tu peux utiliser un matériau différent.

 ASTUCE : Si tu te sens particulièrement créatif, pourquoi ne pas essayer de dessiner ton propre blason familial ou de clan? Tu pourras le dessiner sur les murs de ton château. Les blocs colorés comme la laine teinte sont parfaits pour cela.

Il est temps d'ajouter quelques détails. Nous avons créé deux couches supérieures en utilisant des blocs de pierre taillée qui ceinturent la tour. Cela met de la diversité. Ajoute aussi un plancher en bois au sommet de la tour.

4

Ajoute des fenêtres à chaque niveau de la tour en détruisant des blocs de pierre. Construis un escalier à l'intérieur, pour monter et descendre facilement pendant un assaut. Nous avons aussi ajouté des blocs d'escaliers pour adoucir les bords et faire un peu plus ressortir les deux couches de pierres taillées que nous venons d'ajouter. Enfin, nous avons fabriqué une torche au sommet avec de la netherrack.

 À SAVOIR : La netherrack est l'équivalent de la pierre du Nether. Une fois enflammée, elle brûlera indéfiniment. Elle est donc parfaite pour fabriquer des torches et des cheminées.

SUPERBES CRÉATIONS
CES MURS SONT D'UN TOUT AUTRE ACABIT!

MUR DE LA CITÉ DES MAGES
PAR FYREUK

Ce mur circulaire, créé par FyreUK, englobe la cité mystique des Mages. Mage est en anglais un vieux mot qui désigne un magicien, et la cité des mages est un endroit mystérieux qui renferme nombre de secrets magiques.

Voici une petite section de cet immense mur fait de diverses couches, avec des tours à intervalles réguliers.

Le mur entier a été construit en plus de 3 h par 20 personnes, donc prévois quelques jours si tu veux essayer de le construire tout seul.

Pour fabriquer un mur de cette envergure et de cette forme tu devras d'abord faire deux énormes cercles de blocs : un pour l'extérieur du mur et un plus petit pour l'intérieur. Tu devras ensuite remplir l'espace entre les deux cercles avec des blocs, un processus qui te prendra beaucoup de temps. Puis viennent les finitions, les détails... Pfiou !

ASTUCE SPÉCIALE :

Inspire-toi d'un lieu fantastique parti-culier que tu connais bien !

LE GRAND MUR MÉDIÉVAL
PAR SIR_BERET

Le joueur de Minecraft SirBeret a conçu ces murs élaborés pour entourer une ville médiévale. Ils sont déjà impressionnants en photo mais le sont encore plus de près avec leurs 65 blocs de haut!

Ces murs ont de multiples couches et un chemin suspendu sur la section supérieure. En général on construit la ville ou la cité avant le mur qui l'entoure, mais SirBeret a décidé de construire le mur en premier. Il envisageait de créer une ville à l'intérieur, suivant la forme du mur, mais il n'a jamais pu s'y mettre.

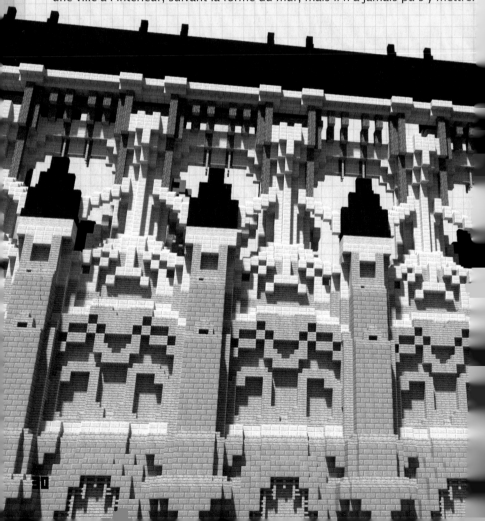

ASTUCE SPÉCIALE :

N'aie pas peur de construire le mur d'enceinte
avant la cité elle-même, plutôt que l'inverse.

LE HALL ROYAL

Tu commences à te lasser de ta maison? Pourquoi ne pas te construire un hall royal? Cela fera un superbe endroit dans ton monde Minecraft. Voyons comment rendre un intérieur «royal».

MATÉRIAUX DE CONSTRUCTION

1

Choisis un emplacement pour ton hall et décide des blocs que tu veux utiliser (ici c'est la pierre). Délimite les bords de ton hall, qui fera 10 blocs de large, 30 blocs de long et 10 blocs de haut. Une fois les contours réalisés, fais le sol avec les blocs de ton choix.

2

Délimite l'emplacement des fenêtres dès maintenant, avant de faire les murs complets. De cette manière, il sera plus facile de les déplacer si tu changes d'avis. Ajoute un tapis royal au centre du hall, qui s'arrête juste avant le futur emplacement de ton trône. Oui, tu auras ton propre trône!

DIFFICULTÉ ■■□

À SAVOIR : Les blocs de tapis ont été introduits dans la mise à jour 1.6. Ils ont la même épaisseur que les plaques de pression et reposent sur des blocs normaux. Ils sont aussi ininflammables, contrairement à la laine, tu n'as donc pas à te soucier des incendies. Tu peux fabriquer des tapis de 15 couleurs différentes.

LE HALL ROYAL ... (SUITE)

3

Remplis les murs avec de la pierre et les fenêtres avec des vitres. Ajoute des barrières surmontées de torches au plafond afin d'éclairer la pièce. Maintenant, crée ton trône en respectant les règles de la royauté Minecraftienne. Pense à utiliser des matériaux précieux.

4

Ajoute des piliers de pierre à ta salle du trône pour lui donner une touche plus authentique. Dans cet exemple les piliers font 2 x 2 blocs de large et font la même hauteur que les murs. Nous ajoutons une base en pierre taillée plus élégante.

PATRON DU BLOC DE TAPIS   3

Tu peux fabriquer 3 blocs de tapis à partir de 2 blocs de laine.

PATRON DE LA VITRE   16

Tu peux fabriquer 16 vitres à partir de 6 blocs de verre.

À SAVOIR

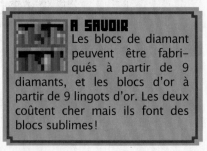

Les blocs de diamant peuvent être fabriqués à partir de 9 diamants, et les blocs d'or à partir de 9 lingots d'or. Les deux coûtent cher mais ils font des blocs sublimes!

PATRON DU BLOC DE DIAMANT

Remplace les diamants par des lingots d'or pour faire un bloc d'or.

5

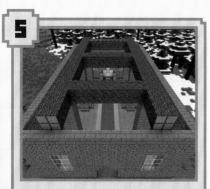

Bien sûr, il est impératif de protéger ton trône de la pluie! Ajoute des blocs de bois au sommet de tes piliers en pierres taillées. Ils formeront la base de ton toit.

6

Ensuite, construis la forme extérieure de ton toit avec des planches et des escaliers en bois, puis étends ton toit tout le long du hall. Ajoute aussi des fenêtres à chaque extrémité.

ASTUCE : Ajoute une ligne de blocs de bois au centre du pignon en bois de ton hall. Tu peux ainsi utiliser cette ligne centrale pour vérifier que tes fenêtres sont bien symétriques.

7

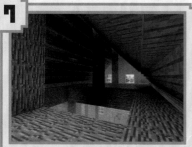

Reviens dans le hall et ajoute des piliers en bois à l'intérieur du toit. Tu peux utiliser des escaliers retournés (marches vers le bas) pour faire plus de détails dans la charpente.

8

Trace une ligne de blocs de barrières au centre du toit et ajoute des lampes retournées de luminite. Elles suffiront à empêcher les monstres d'apparaître.

LA CITÉ NAINE
PAR FYREUK

Ce hall a été construit selon les codes de la race fantastique des nains. L'ensemble de la construction est situé à l'intérieur d'une montagne et va à certains endroits jusqu'à la bedrock. Il n'y a aucune lumière naturelle.

De gros chaudrons de lave éclairent la pièce, tout comme la lave en fusion qui coule sous le sol en verre et le fond du hall. Sachant que les nains sont des mineurs-nés, il est normal d'utiliser beaucoup d'or et de fer.

ASTUCE SPÉCIALE :

En profondeur, la lave est une bonne source de lumière et aide à créer une atmosphère mystérieuse.

ATTENTION : Si tu essayes de faire quelque chose de semblable à ce hall, n'ajoute la lave qu'à la fin. Il est très facile d'enflammer des blocs, ou toi-même, par accident. Garde toujours un seau d'eau sur toi, dans ta barre d'inventaire rapide, par précaution.

LE PALAIS PAR FYREUK

Ce magnifique palais a été créé en utilisant de nombreux types de blocs, pour donner un sentiment d'opulence. Tu te sens devenir un roi dès que tu y pénètres.

Ce bâtiment a beaucoup de similitudes avec la cité naine, avec un trône royal au centre et des sièges de chaque côté. Les couleurs royales or et rouge dominent le reste et de l'or est utilisé en masse pour le sol et les dessins muraux. Une lampe complexe en luminite est suspendue au centre de la voûte et éclaire délicatement tous les détails du lieu.

ASTUCE SPÉCIALE :

Avec la luminite tu peux réaliser de magnifiques éclairages intérieurs.
N'oublie pas de faire des motifs sur le sol avec des blocs colorés.

LE PONT SUSPENDU

Le paysage minecraftien est souvent parsemé de dangereux obstacles, depuis les ravins abrupts jusqu'aux profondes et tumultueuses gorges des rivières. La manière la plus efficace de les franchir est de les enjamber. Construisons donc un pont suspendu !

MATÉRIAUX DE CONSTRUCTION

1

Tout d'abord, construis une bande horizontale au-dessus de l'obstacle à traverser, en planches de bois. Elle doit être de 2 blocs d'épaisseur. Fais-la assez large pour y construire plus tard un chemin de fer.

2

Construis des colonnes sous les planches pour servir de support. Détruis le centre de la couche supérieure du pont pour remplacer les planches par du gravier. Laisse les planches de bois sur les côtés.

3

Construis une arche sous le pont en reliant les colonnes de support avec des blocs de bois. L'arche permet de supporter le poids du pont et laisse passer les bateaux.

4

Ajoute des barrières sur les bords en planches, autour de la route en gravier, et remplis l'espace au-dessus de l'arche avec des barrières. Sois créatif et essaye de faire ton propre style.

LE PONT SUSPENDU
... (SUITE)

Transformons ce simple pont en arc en un impressionnant pont suspendu. Les ponts suspendus donnent l'impression de pouvoir supporter une masse énorme, ce qui est très rassurant.

MATÉRIAUX DE CONSTRUCTION

5

Avec du bois, crée 2 structures en H, une à chaque extrémité du pont. Comme elles seront les supports des câbles de suspension, elles doivent être suffisament hautes. Essaye de les faire d'au moins 10 blocs de haut.

6

À partir du haut des deux H, construis quatre demi-arches qui se rejoignent au milieu du pont. Ce sont des câbles. Puis, pour donner sa forme à l'arche, fais des lignes de 3 ou 4 blocs, puis continue en descendant et en diminuant peu à peu le nombre de blocs par ligne.

7

Ajoute des barrières sous tes arches. Tu peux expérimenter différents motifs ou rester classique en faisant juste de simples lignes verticales espacées d'un bloc, ce que nous avons fait ici. Les lignes rejoignent les barrières du bas.

8

Termine tes câbles en rajoutant des arches reliant le sol et les formes en H. Tu pourrais aussi ajouter des torches ou des lampes en luminite. Par ailleurs, pourquoi ne pas tracer une ligne blanche signalant une route ou des trottoirs sur le pont?

SUPERBES CRÉATIONS
CE SONT PLUS QUE DE SIMPLES PONTS!

TOWER BRIDGE PAR GEROO

Tu reconnais ce chef-d'œuvre d'architecture? Oui, c'est bien ça, c'est une reproduction du célèbre Tower Bridge à Londres par le joueur Minecraft Geroo.

Principalement construites avec de la pierre, de la pierre lisse et de la pierre taillée, les tours du pont surplombent l'ensemble. Il y a de nombreux détails sur lesquels s'attarder, comme l'utilisation de la laine qui est particulièrement efficace pour souligner les bords du pont. Geroo a utilisé les couleurs reconnaissables du drapeau britannique pour donner au pont un aspect «so British». Un pont de cette envergure prend des semaines à construire, mais voir tes amis bouche bée n'a sans doute pas de prix pour toi!

ASTUCE SPÉCIALE :

Inspire-toi de monuments réels pour les reconstruire dans Minecraft.

LE PONT DES MAGES

PAR FYREUK

La majorité des ponts de style fantastique sont construits à partir de demi-dalles de pierre lisse et de pierre. Le chemin central du pont est relativement simple. Mais ce qui rend celui-ci unique, ce sont les trois tourelles imbriquées.

Ces tourelles sont des créations multi-couches excessivement détaillées. Entre elles, trônent d'immenses statues de mages mystiques. Pour construire ce pont, il a fallu à peine une heure à une équipe de 20 personnes, c'est incroyable! Si tu veux créer tout seul quelque chose de semblable, prévois quelques jours de travail pour arriver au bout.

Une statue de mage qui veille sur le pont.

 **ASTUCE SPÉCIALE :**
Un pont peut-être plus qu'une simple route jetée sur un gouffre. Tu peux lui ajouter toutes les décorations et constructions que tu veux.

L'ÎLE FLOTTANTE

Les îles flottantes peuvent ajouter une touche de fantaisie à ton monde, et elles sont superbes si tu travailles dans un style « steampunk » (voir p. 56). Elles ne sont pas non plus si compliquées à construire qu'elles le paraissent.

MATÉRIAUX DE CONSTRUCTION

1

Construis une tour de 1 x 1 en pierre, de 30 à 40 blocs de haut. Elle représente le centre de ton île que tu pourras enlever. Au sommet de cette tour, place de la pierre pour former une croix dont chaque branche fait environ 15 blocs de longueur par rapport au centre. Autour de la croix, dessine le contour de ton île.

2

Commence à partir du bord et ajoute des blocs sous l'île, en rejoignant progressivement le pilier central. Plus le placement des blocs semblera aléatoire, plus ton île flottante paraîtra réaliste. Les quatre filaments de blocs devront se rejoindre à peu près au centre sous l'île. Fais ensuite le sol de l'île avec des blocs de pierre.

3

Voici le plus difficile à faire : sculpter le bas de l'île. Pense à chaque couche comme à un disque et essaye de calquer chaque disque sur la forme de l'île, en les faisant de plus en plus petits au fur et à mesure que tu descends. Continue jusqu'à obtenir une forme qui te plaît.

4

Ajoute une base en terre au sommet de l'île, puis rajoute une ou deux couches supplémentaires et plante quelques arbres et fleurs. Essaye de faire des couches ayant la forme de l'île. Pour terminer, détruis la colonne de pierre pour que ton île flotte dans le ciel.

L'ÎLE FLOTTANTE
... (SUITE)

Quelle île flottante pourrait se passer d'un château? Quand tu seras sur ton île, tu auras besoin d'un endroit pour te reposer et surveiller tes ennemis.

MATÉRIAUX DE CONSTRUCTION

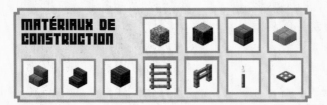

1

Tout d'abord, délimite la forme de ton château avec des blocs de pierre. Place les tours et réserve un espace pour la porte.

2

Monte les murs et les tours jusqu'à la hauteur désirée. Nos murs font 5 blocs de haut et nos tours 8 blocs de haut.

L'ÎLE FLOTTANTE

... (SUITE)

3

Utilise des planches de bois pour le plancher de tes tours, avec des trappes et des échelles à l'intérieur pour y monter. Ajoute des blocs de bois à chaque coin des tours et de la pierre taillée au sommet de chaque mur pour renforcer tes postes de garde.

4

Construis un toit sur chaque tour. Nous avons utilisé des escaliers en bois de sapin pour les nôtres. Ajoute de la pierre taillée en haut des murs pour créer des créneaux. Utilise des demi-dalles ou des blocs d'escaliers pour orner ton château.

L'ÎLE DES MAGES
PAR NEFASHUS

Cette île fait partie d'une collection d'îles conçues avec soin. Elles sont toutes parsemées de petits détails qui rendent l'ensemble magnifique, mais la plus belle reste l'île des mages et sa tour ci-contre!

Regarde bien la formation rocheuse sous les îles, sa structure déchiquetée et les cascades donnent une impression de hauteur. Le fond ou l'arrière-plan de ta construction est tout aussi important que le reste. Cette tour relativement simple prend une toute autre envergure perchée au sommet de son île flottante.

ASTUCE SPÉCIALE :

Choisir le bon endroit pour ta construction peut faire toute la différence entre quelque chose de médiocre et de sublime.

LA CITÉ STEAMPUNK
PAR FYREUK

L a cité steampunk est la plus grosse île flottante construite par FyreUK et ce que tu peux voir ici n'en représente qu'une petite partie. Le style «Steampunk» est issu d'œuvres de science-fiction où toutes les machines fonctionnent à la vapeur.

Pour respecter le style «Steampunk», de nombreux propulseurs géants ont été construits pour suggérer la manière dont les îles flottent dans les airs. Aux côtés des bateaux volants, des bâtiments et des ballons, une des particularités les plus impressionnantes de cette construction est son vaste chemin de fer faisant le tour de l'île. Il permet aux visiteurs de faire une vraie visite touristique et de voir de près les différentes zones.

LE GALION

I y a beaucoup de vastes océans à conquérir dans Minecraft, et quoi de mieux qu'un magnifique bateau pour montrer que c'est toi le roi des mers ? Encore faut-il pouvoir relever ce nouveau défi !

MATÉRIAUX DE CONSTRUCTION

1

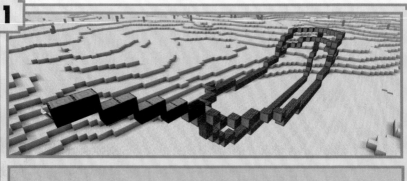

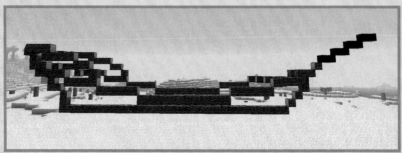

La première étape est la plus difficile ; tu vas devoir créer la charpente de ton bateau avec le bloc de ton choix. Celle-ci formera la coque de ton bateau. Utilise ces images comme un guide mais ne te sens pas obligé de les copier bloc à bloc. Si tu veux essayer une forme différente ou en construire un plus grand ou un plus petit, n'hésite surtout pas !

ASTUCE
Ce bateau a été construit sur du sable pour que tu en voies bien les détails, mais tu peux suivre toutes les étapes et le construire directement sur l'eau.

LE GALION... (SUITE)

2

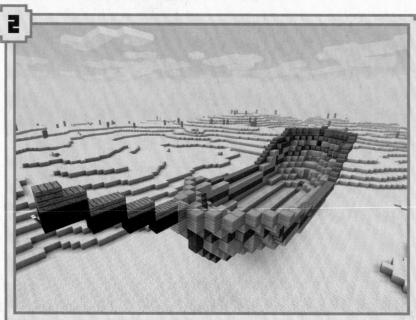

Ensuite, complète la charpente pour fabriquer entièrement la coque de ton bateau. Nous avons utilisé des planches en bois de bouleau parce qu'elles contrastent bien avec le bois utilisé pour faire le squelette du bateau. De la pierre taillée a été utilisée pour définir les contours supérieurs de la coque.

3

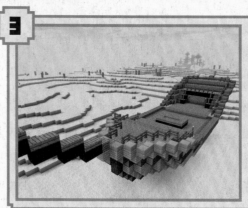

Remplis maintenant le haut de ta coque pour construire le pont. Celui-ci a une section surélevée à l'arrière (la poupe), donc nous avons ajouté des blocs d'escalier à chaque extrémité pour rendre son accès possible. Il y a aussi une section surélevée à l'avant, où nous avons aussi placé des escaliers. Cela donne différents niveaux au pont.

4

Un bateau de cette taille aura besoin de larges voiles, construis donc trois grands mâts en bois. Fais attention à bien les espacer sur toute la longueur du pont pour rester réaliste. Si tu construis un bateau plus petit, un ou deux mâts suffiront.

CONSTRUIRE LES VOILES

MATÉRIAUX DE CONSTRUCTION

5

Les voiles sont difficiles à faire, laisse-toi assez de place pour pouvoir essayer plusieurs choses, et assez de temps pour recommencer si nécessaire. Nous allons créer 2 grandes voiles au milieu, 2 voiles triangulaires à l'avant et autant à l'arrière. Fais le contour de chaque voile avec des blocs de laine.

LE GALION ... (SUITE)

6

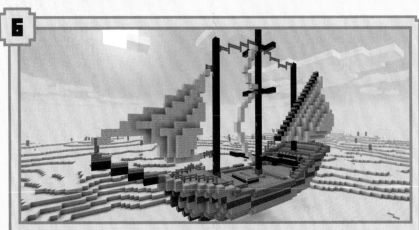

Fais d'abord les voiles à l'avant et à l'arrière pour te donner un aperçu de la taille et de la couleur que tu veux. Nous avons utilisé de la laine blanche pour les voiles et des barrières pour relier les mâts entre eux. Essaye d'arranger les blocs composant la voile pour faire différentes couches.

7

Construis au milieu du bateau deux voiles tournées vers l'avant. Nous avons créé trois types de voiles différentes pour te montrer plusieurs designs, mais tu peux te contenter d'un seul type.

PATRON DE LA LAINE ROUGE

Fabrique de la laine rouge à partir d'un bloc de laine blanche et d'une teinture rouge.

Nous avons placé des drapeaux en laine rouge au sommet des mâts. On a aussi l'impression qu'ils flottent au vent. D'autres petites voiles ont été ajoutées pour donner plus d'allure au bateau.

SUPERBES CRÉATIONS
LES NAVIRES LES PLUS IMPRESSIONNANTS DES SEPT MERS!

DES NAVIRES MAGIQUES
PAR FYREUK

Ces navires magiques sont l'œuvre de FyreUK, dans leur cité des mages. Les voiles ont été fabriquées de différentes manières pour donner un aspect élégant et majestueux à ces navires.

ASTUCE SPÉCIALE :

Essaye différents types de voiles, cela change vraiment l'aspect de chaque bateau.

Bien que ces bateaux utilisent encore du bois pour la coque et de la laine blanche pour les voiles, ils se démarquent par leurs voiles triangulaires qui couvrent le bateau en entier. Trois de ces voiles sont bout à bout le long du bateau et lui donnent un aspect très différent des autres constructions du même style et de taille identique.

LE BATEAU PIRATE
PAR HEAVEN_LORD

Le joueur Minecraft HeavenLord et son équipe ont créé une énorme île pirate avec des bateaux de toutes tailles et de styles divers. En voici un, trouvé aux alentours de l'île pirate.

La coque est réalisée avec des laines jaunes et noires, qui sont une alternative intéressante aux coques en bois classiques que nous avons vues jusqu'à présent. L'ajout de petits canons le long de la coque est un autre détail à noter. Les énormes voiles donnent à ce bateau une grande prestance, assurant sa domination sur l'océan tumultueux.

ASTUCE SPÉCIALE :

Reprends tes anciennes constructions et améliore-les avec de nouveaux détails.

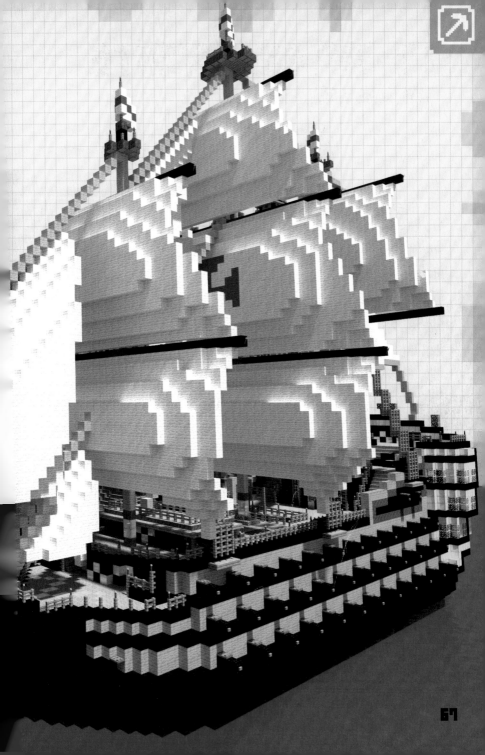

LES MONTAGNES RUSSES

Pourquoi ne pas transformer un moyen de transport ordinaire, le train, en une décoiffante attraction comme les montagnes russes ? Voici les bases pour construire un superbe et vertigineux manège !

MATÉRIAUX DE CONSTRUCTION

ASTUCE : Pour démarrer, arrêter et propulser en hauteur les wagonnets, tu auras besoin de rails à propulsion. Ils devront être branchés à une source d'énergie pour fonctionner, par exemple une torche de redstone, un rail détecteur, un levier, etc.

PATRON DES RAILS

16

Tu peux fabriquer 16 rails à partir de 6 lingots de fer et d'un bâton.

PATRON DES RAILS À PROPULSION

6

Fabrique 6 rails à propulsion avec 6 lingots d'or, un bâton et une poudre de redstone.

1

Fais ton tracé avec des planches de bois. Il faut plusieurs essais pour donner assez de vitesse au wagonnet pour qu'il parcoure tout le circuit. Crée des virages et des changements qui rendent amusant le parcours. Place tes rails sur les planches et les rails à propulsion au pied de la première montée. Teste le circuit jusqu'à ce que le wagonnet arrive à monter la côte.

LES MONTAGNES RUSSES
... (SUITE)

2

Ajoute des détails. Nous avons placé un tunnel à la fin du parcours pour rajouter un passage amusant. Rien ne vaut une course à toute vitesse dans le noir! Nous avons aussi construit une structure supportant les rails en utilisant des barrières, pour rendre le tout plus réaliste.

3

Mets des blocs d'escalier sur le côté de la piste qui monte, pour faire authentique. Dans un endroit plat, construis une station à wagonnets que tu utiliseras comme départ et arrivée de ton attraction. Ajoute à cet endroit un distributeur plein de wagonnets.

À SAVOIR Pour fonctionner, un distributeur doit être alimenté par un courant de redstone. Tu devras relier ton distributeur à un levier ou à un bouton (à l'aide de poudre de redstone).

4

Ajoute des lampes de luminite autour de ton circuit pour l'éclairer la nuit et borde-le avec une barrière pour empêcher les monstres de se balader sur les rails. Enfin, ajoute quelques arbres, de l'herbe et des fleurs afin que ton attraction se fonde dans le paysage.

PATRON DU DISTRIBUTEUR

Fabrique un distributeur avec 7 blocs de pierre, un arc et une poudre de redstone.

PATRON DU WAGONNET

Tu peux fabriquer un wagonnet à partir de 5 lingots de fer.

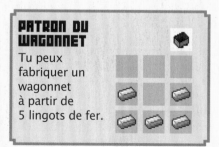

LES MONTAGNES RUSSES
SYSTÈMES AVANCÉS

Que se passe-t-il? Déjà lassé par ton circuit? Très bien, voyons comment ajouter des systèmes encore plus amusants pour rendre l'expérience plus amusante encore!

LES CHUTES DE LA MORT

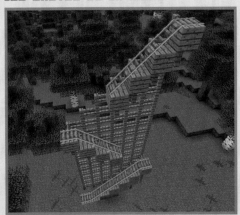

Ajoute des chutes de la mort au parcours pour rendre ton attraction plus excitante. Pour créer une chute, laisse le wagonnet sortir de la piste pour qu'il retombe sur d'autres rails un peu plus bas, et répète ce schéma autant de fois que tu veux. Tu peux changer de direction en cours de route, mais il faut s'assurer que le rail en contrebas est pile en dessous, pour que le wagonnet ne tombe pas à côté!

LE SERPENT TORTUEUX

Essaye un tracé en serpent et fais rouler ton wagonnet dans ces allers-retours incessants. Pour parcourir l'ensemble sans t'arrêter, place des rails à propulsion en bas de chaque descente. Tu peux faire les virages du circuit aussi serrés que tu veux, tout dépend de ton estomac.

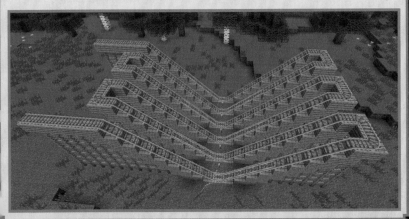

SUPERBES CRÉATIONS

GRAND HUIT DU DRAGON ROUGE, PAR CRESPOCHIMP

Ce terrifiant circuit ressemble à un dragon. Le départ se fait sur la tête du dragon puis le tracé chemine le long de son corps.

Tu remarqueras un manque évident de structures de sup-port, ce qui renforce le côté vertigineux du parcours. Le wagonnet arrive sans arrêt sur de petits virages qu'il prend à toute vitesse ce qui glace le sang. CrespoChimp s'est servi d'un ravin naturel et la piste descend au fond de grottes avant de remonter brutalement jusqu'au ciel.

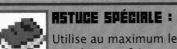

ASTUCE SPÉCIALE :

Utilise au maximum le relief naturel du terrain jouant avec lui pour faire un circuit très impressionnant.

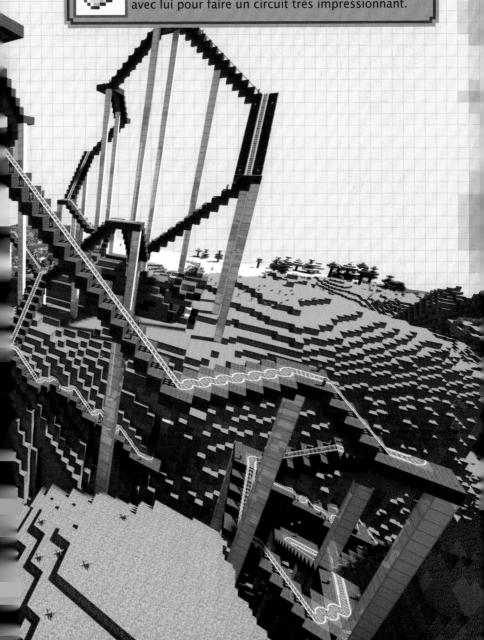

« SANS ISSUE »
PAR IHOVIBEZZ

L'attraction «Sans issue» a été créée à partir de nombreux mécanismes simples combinés ensemble pour aboutir à un grand huit très complexe. Le constructeur les a combinés d'une manière unique et originale pour en faire une attraction sensationnelle.

Quand le parcours débute, des pistons te propulsent sur des rails en contrebas. La majorité de la piste n'est soutenue que par des piliers d'un bloc de large, ce qui crée un sentiment de vertige et de liberté. C'est une attraction qui te tient en haleine à chaque virage.

> ### ASTUCE SPÉCIALE :
> Retirer des structures de support renforce le sentiment de danger et aère le circuit.

CONCLUSION DE FYREUK

Félicitations! Tu as terminé le guide des bâtisseurs Minecraft, ce qui signifie que tu es maintenant un maître-bâtisseur accompli.

On demande sans arrêt à l'équipe de FyreUK le meilleur conseil pour réussir une construction. La réponse est généralement de se concentrer sur les détails et d'en ajouter à tes constructions dès que c'est possible. Crée des motifs et utilise différents blocs pour briser la monotonie des murs ou des toits, par exemple. Cela donnera plus de profondeur à tes bâtiments et les rendra plus réalistes. N'aie pas peur d'être créatif!

DES LIENS UTILES

Voici quelques sites qui pourraient t'être utiles et diversifier ton expérience sur Minecraft.

Site officiel Minecraft :
www.minecraft.net

Site officiel de Mojang :
www.mojang.com

Le wiki Minecraft en français :
www.minecraft-fr.gamepedia.com

La page officielle Facebook :
www.facebook.com/minecraft

La chaîne YouTube de l'équipe Mojang :
www.youtube.com/teammojang

Le Twitter officiel de Minecraft :
https://twitter.com/mojangteam

Le Twitter officiel de Jeb :
https://twitter.com/jeb_

Quelques autres sites mais non vérifiés par Mojang. Ils sont donc sans garantie!

Informations détaillées sur les serveurs :
minecraftservers.net

Packs de texture :
www.minecrafttexturepacks.com

Minecraft sur Reddit :
www.reddit.com/r/Minecraft/

La chaîne YouTube de FyreUK :
www.youtube.com/fyreuk

(voir p. 2 nos recommandations pour la sécurité des enfants sur Internet.)